W9-BTA-722

Christine Blume-Esterer (Fotos)
Susanne von Mach (Texte)

Aschaffenburg

Spaziergang durch das
Bayerische Nizza

deutsch · english · français

Wartberg Verlag

Englische Übersetzungen: Wolfgang Wollek
Französische Übersetzungen: Annie Carroy-Schwarz

4. Auflage 2015

Gestaltung: designhärtel, Gudensberg
Druck: Druck- und Verlagshaus Thiele & Schwarz GmbH, Kassel
Buchbinder: Buchbinderei S.R. Büge, Celle

© Wartberg Verlag GmbH & Co. KG
34281 Gudensberg-Gleichen, Im Wiesental 1
Telefon (05603) 93050
www.wartberg-verlag.de
ISBN: 978-3-8313-1938-1

Kulturstadt, Hochschulstadt, Tor zum Spessart, Bayerisches Nizza: Aschaffenburg hat viele Gesichter, ohne deshalb gesichtslos zu wirken. Im Gegenteil – seine so unterschiedlichen Farben machen das Stadtbild bunter und aufregender, und die Aschaffenburger sind stolz auf ihre Heimat. „Willkommen im Bayerischen Nizza" begrüßt die Mainstadt Besucher auf Informationstafeln, und früher oder später öffnet sich der Blick auf das Wahrzeichen der Stadt: Schloss Johannisburg. Sogar von der Autobahn aus sind die ehrwürdigen vier Türme zu sehen. Tatsächlich ist kaum ein Blick schöner als derjenige auf das Renaissanceschloss – gleich von welcher Stelle aus. Wenn die Türme im Sonnenlicht glänzen, wenn die dunkle Silhouette weißen Nebel durchbricht, wenn sich Wattewolken über den Dächern türmen, dann stimmt das Schloss in aller Pracht und Herrlichkeit auf eine Stadt ein, die nicht geizt mit ihren Reizen. Nicht umsonst ist Schloss Johannisburg für Touristen aus aller Welt das erste Muss auf der Sightseeing-Liste – und nicht umsonst beginnt vom Schloss aus der eigens für Besucher angelegte „Entdeckerpfad" mit zehn Stationen, der in Aschaffenburgs Straßen und Gassen und zu den schönsten Sehenswürdigkeiten führt. Und der Name ist Programm: Geschichte, Freizeitangebote und Kultur warten auf ihre Entdeckung.

Es hat schon seinen Grund, dass Aschaffenburg und der angrenzenden Region in Umfragen immer wieder eine besonders hohe Lebensqualität bescheinigt wird: Hier lässt es sich einfach gut leben. Für manchen ist auch die Nähe zur Weltstadt Frankfurt ein Pluspunkt: Als Teil der Metropolregion Rhein-Main ist Aschaffenburg nahe genug dran, um alle wirtschaftlichen Vorteile zu bieten – aber eben auch weit genug weg, um den anonymen Großstadtbetrieb mit Herz-

lichkeit, Nähe und Natur wettzumachen. Kein Wunder also, dass unter den fast 70 000 Einwohnern der Stadt einige Berufspendler sind, die zu den Arbeitgebern im Rhein-Main-Gebiet fahren, aber mit ihren Familien auf das Leben in einer architektonisch reizvollen Stadt mit mediterranem Flair und quirligem Freizeit- und Familienleben nicht verzichten wollen. Schon Aschaffenburgs nachweislich mildes Klima, das eine üppige Natur bedingt – wunderschöne Parks, das Naherholungsziel Spessart vor der Tür, der Main zu Füßen – sind Grund genug hier zu leben.

Das sah auch Bayernkönig Ludwig I. so: In seinem „Bayerischen Nizza", war er gern zu Gast. Die Reize der Stadt hatten schon vor ihm wichtige Männer erkannt: Im 14. Jahrhundert hatten die Mainzer Kurfürsten und Erzbischöfe Aschaffenburg lieben gelernt und als Sommerresidenz gewählt. König und Kurfürsten haben in der Stadt ihre Spuren hinterlassen: Das Schloss als kurfürstliche und in seinen Dimensionen fürstliche Sommerresidenz, die auf Ludwigs Wunsch erbaute römische Villa Pompejanum, der Park Schönbusch im Stil eines englischen Landschaftsgartens, ein Grüngürtel durch die Stadt zum Spazierengehen – das schätzen die Aschaffenburger bis heute. Hinzu kommt die Vielzahl hochkarätiger Museen, darunter die Kunsthalle Jesuitenkirche und das Stiftsmuseum mit mittelalterlicher und Renaissancekunst.

Viele Gründe also, in Aschaffenburg zu leben oder der Stadt mindestens einen Besuch abzustatten: Dieser Bildband soll ein Wegweiser zu den schönsten Stellen sein – aber auch das Stadtleben dokumentieren, denn auch die schönste Stadt wird nur durch ihre Bewohner lebendig.

Susanne von Mach

City of culture, university town, gateway to Spessart, Bavarian Nice: Aschaffenburg has many faces, but without being faceless. On the contrary – the different colours make the townscape more interesting and exciting, and the people of Aschaffenburg are proud of their nice town. "Welcome to the Bavarian Nice" – this is what visitors to the town at river Main can read on information panels, and sooner or later, the landmark of the town will come in sight: castle Johannisburg. The four venerable towers are to be noticed even from the motorway. It is a fact, that there is no nicer view than the one of the Renaissance castle – no matter from which place. When the towers are shimmering in the sunlight, when the dark silhouette is breaking through the white fog, when cotton wool clouds are towering above the roofs – then the castle with all its splendour and magnificence will prepare for a city, that does not hide its attractions. Not without reason, castle Johannisburg is the must no. 1 on the sightseeing list of tourists from all over the world – and not without reason, the so-called discovery path with ten stops, especially meant for visitors, starts at the castle and leads through the streets and alleys of Aschaffenburg to the finest sights. And the name means programme: history, leisure amenities and culture are waiting to be discovered.

There is good reason why in polls Aschaffenburg and the adjacent region have always been certified a particularly high quality of life: This is simply a good place to live in. Some people appreciate the close proximity to the metropolis Frankfurt: As a part of the metropolis region Rhine-Main, Aschaffenburg is located close enough to offer all economic advantages – but also far enough away, to compensate for the anonymous lifestyle of a big city with warmth, closeness and nature. No wonder, that there are some commuters among the nearly 70 000 inhabitants of Aschaffenburg, who drive to their employers in the Rhine-Main area, however, they are not willing to give up the life with their families in an architecturally charming town with a mediterranean atmosphere and an attractive range of leisure amenities. The provable mild climate, the opulent nature – wonderful parks, the local recreation area Spessart nearby, the river Main at one's feet –reasons enough to live here.

Bavarian king Ludwig I was of the same opinion: He was a frequent guest to his "Bavarian Nice". Even before him, other important men had discovered the charms of the town: The Electors and archbishops of Mainz had learned to love Aschaffenburg during the 14th century and had chosen it as their summer residence. King and Electors left their traces in the town: the castle as the Electors' summer residence of princely dimensions, the Roman villa built on Ludwig's request, Park Schönbusch in the style of English landscape gardens, a green belt to take a walk across the town – the inhabitants of Aschaffenburg have always appreciated all that to this day. In addition to that, there is a multitude of high-quality museums, e. g. Kunsthalle Jesuitenkirche and Stiftsmuseum with medieval and Renaissance arts.

Obviously many reasons to live in Aschaffenburg or to pay a visit to the town, at least: This photo book is meant to be a signpost to the most interesting places – at the same time, it is to demonstrate the city-life, for even the nicest town will come to life exclusively by its population.

Susanne von Mach

Ville culturelle, ville universitaire, porte du Spessart, Nice bavaroise: Aschaffenburg a de nombreux visages ce qui ne signifie pas qu'elle est sans caractère. Au contraire: cette diversité rend sa physionomie plus colorée et plus excitante. Les habitants d'Aschaffenburg sont fiers de leur petite ville. «Bienvenue dans la Nice bavaroise», c'est par ces paroles que la ville du Main salue ses visiteurs qui voient tôt ou tard apparaître l'emblème de la ville: le château de Johannisburg dont les quatre tours majestueuses sont déjà visibles de l'autoroute. D'où que l'on vienne, on voit en effet rarement quelque chose de plus beau que ce château Renaissance. Quand ses tours brillent dans la lumière du soleil, quand sa silhouette noire se dessine à travers le brouillard, quand ses toits sont coiffés de nuages, ce château de toute beauté est alors en harmonie parfaite avec une ville qui n'est pas avare de ses charmes.

Ce n'est pas pour rien si le château de Johannisburg est à la première place des curiosités que les touristes venus du monde entier se doivent de visiter. Et ce n'est pas pour rien non plus si le «sentier de découverte», qui compte dix stations et qui mène par les rues et ruelles d'Aschaffenburg aux endroits les plus intéressants de la ville, part du château. Le nom du sentier est tout un programme: histoire, activités de loisirs et culture attendent d'être découverts.

Si Aschaffenburg et sa région obtiennent toujours d'excellents résultats dans les sondages portant sur la qualité de la vie, c'est parce qu'il y fait tout simplement bon vivre. Un aspect positif est pour certains aussi la proximité de Francfort. Aschaffenburg est situé dans la conurbation Rhin-Main et dispose ainsi de tous les avantages économiques de celle-ci mais en est assez éloigné pour ne pas avoir à souffrir de l'anonymat, du manque de chaleur humaine et de nature des grandes villes. Ce n'est donc pas surprenant si dans cette ville de presque 70 000 habitants certains préfèrent faire tous les jours la navette entre leur domicile et leur lieu de travail : ils peuvent ainsi vivre avec leur famille dans une ville à l'architecture attrayante et au flair méditerranéen, et où les activités de loisirs sont nombreuses. Le climat d'Aschaffenburg est doux et la nature y est luxuriante. Des parcs magnifiques, la région du Spessart aux portes de la ville, le Main à ses pieds… autant de raisons de vouloir vivre ici.

C'était aussi l'avis du roi Louis Ier de Bavière qui séjournait souvent dans sa «Nice bavaroise» dont d'autres personnages importants avaient déjà découvert les attraits avant lui. Au 14ème siècle, les Électeurs et les archevêques de Mayence avaient appris à apprécier Aschaffenburg qu'ils avaient choisi comme résidence d'été. Le roi et les Électeurs ont laissé des traces dans la ville: le château, cette résidence d'été des Électeurs de taille princière, la villa romaine construite à la demande de Louis, le parc à l'anglaise de Schönbusch, une ceinture verte pour se promener à travers la ville- les habitants d'Aschaffenburg apprécient cela aujourd'hui encore. À cela s'ajoute un grand nombre d'excellents musées tels que le musée d'Art Moderne de l'église des Jésuites et le musée de la Collégiale avec ses œuvres du Moyen Âge et de la Renaissance.

Les raisons sont donc nombreuses de vivre à Aschaffenburg ou du moins de le visiter. Cet ouvrage a pour mission de vous guider vers les plus beaux endroits de la ville et de montrer comment on y vit car la plus belle des villes n'est vivante que grâce à ses habitants.

Susanne von Mach

Historisches

4. Jahrhundert: Archäologische Funde lassen vermuten, dass auf einer Anhöhe über dem Main – dem späteren Stiftsberg – eine Siedlung bestand.

975: Herzog Liudolf von Schwaben gründet das Stift St. Peter, das ab dem 12. Jahrhundert St. Peter und Alexander heißt. Die Stiftskirche wird gebaut, eine mittelalterliche Burg wird als Befestigungsanlage errichtet.

10. Jahrhundert: Gegen Ende des Jahrhunderts fällt das Gebiet an das Erzbistum Mainz. Erzbischof und Reichserzkanzler ist Willigis. Er lässt eine erste Holzbrücke über den Main bauen. Bis heute gibt es eine Willigisbrücke.

12. Jahrhundert: Aschaffenburg wird größer. Seinen Namen hat der Ort vom Flüsschen Aschaff.

1114: Aschaffenburg bekommt das Marktrecht.

1122: Erzbischof Adalbert I. von Saarbrücken befestigt die Siedlung.

1155: Aschaffenburg bekommt das Münzrecht.

1161: Aschaffenburg bekommt das Stadtrecht.

14. Jahrhundert: Aschaffenburg wird Zweitresidenz der Mainzer Erzbischöfe und damit mächtiger.

1516: Die Stiftsherren beauftragen Matthias Grünewald mit der Erstellung von Altargemälden.

1541: Aus Halle an der Saale zieht der Mainzer Erzbischof, Kurfürst und Kunstmäzen Albrecht von Brandenburg wegen der Reformation mit seiner Residenz nach Aschaffenburg und nimmt viele seiner Kunstschätze mit. Deshalb sind bis heute Cranach-Bilder im Besitz der Stiftskirche.

1552: Die Burg wird im Markgräflerkrieg zerstört.

1605–1619: Johann Schweikhard von Kronberg errichtet Schloss Johannisburg. Es wird die Zweitresidenz der Mainzer Bischöfe und Kurfürsten.

1775: Kurfürst Friedrich Carl Joseph von Erthal lässt im Stil englischer Landschaftsgärten unter anderem Park Schönbusch anlegen.

1803: Auflösung des Mainzer Kurstaates mit dem Reichsdeputationshauptschluss. Aschaffenburg wird Hauptstadt des neu gegründeten Fürstentums Aschaffenburg unter Carl Theodor von Dalberg (1744–1817).

1810–1813: Aschaffenburg wird Hauptstadt des Fürstentums Frankfurt, in dem das Aschaffenburger aufgeht.

1814: Nach dem Wiener Kongress fällt Aschaffenburg an das Königreich Bayern und erfährt in der Folge eine kulturelle und wirtschaftliche Blütezeit. Carl Theodor von Dalberg fördert unter anderem das Schul- und Bildungswesen und gründet das Theater.

1834: Gründung des Deutschen Zollvereins.

1843–1848: König Ludwig I. von Bayern lässt das Pompejanum errichten.

1854: Anschluss an das Eisenbahnnetz, was die Entstehung von Industrie (darunter Motoren, Papier, Bekleidung) nach sich zieht.

21. November 1944: Großflächige Zerstörung in einer Bombennacht.

1945: Die Nationalsozialisten erklären Aschaffenburg zur Festung, weshalb die Stadt in den letzten Kriegswochen stark zerstört wird.

1954: Der Wiederaufbau des Schlosses beginnt.

1955 bis 1961: Die Autobahn A3 wird gebaut und führt direkt an Aschaffenburg vorbei.

1956: Begründung der Städtepartnerschaft mit dem schottischen Perth.

1958: Die Stiftskirche wird päpstliche Basilika.

1974: Eröffnung der City Galerie als Einkaufspassage.

1978: Der Historiker Guido Knopp initiiert das Diskussionsforum „Aschaffenburger Gespräche", die 2008 aufgegeben wurden.

1984: Das im Krieg beschädigte Pompejanum wird wieder aufgebaut.

1991: Bau der Stadthalle.

1995: Eröffnung der Fachhochschule Aschaffenburg-Würzburg-Schweinfurt in der ehemaligen amerikanischen Garnison, heute eine selbstständige Hochschule.

2000: Aschaffenburg nennt sich Kulturstadt – ein Markenname für alle kulturellen Aktivitäten der Stadt.

4ᵗʰ century: Archaeological finds gave rise to the assumption, that a settlement existed on a hill above the river Main – in later times called Stiftsberg.

975: Duke Liudolf of Swabia founded Stift (abbey) St. Peter, which was renamed St. Peter and Alexander in the 12ᵗʰ century. Stiftskirche (abbey church) was built, a medieval castle was erected as a fortification.

10ᵗʰ century: By the end of the century the area became property of the archbishopric Mainz. Archbishop and Reichserzkanzler (imperial arch chancellor) was Willigis. He ordered to build the first wooden bridge across the river Main. To this day, there has been a Willigis Bridge.

12ᵗʰ century: Aschaffenburg became larger. The name goes back to the small river Aschaff.

1114: Aschaffenburg was authorized to hold markets.

1122: Archbishop Adalbert I of Saarbrücken fortified the settlement against attacks.

1155: Aschaffenburg was authorized to mint.

1161: Aschaffenburg received its charter as a city.

14ᵗʰ century: Aschaffenburg became second residence of the archbishops of Mainz and thus more powerful.

1516: The canons engaged Matthias Grünewald to create altar paintings.

1541: Albrecht von Brandenburg, archbishop of Mainz, Elector and patron of arts at the same time, moved from Brandenburg to Aschaffenburg due to the Reformation, and brought along many of his treasures of art. For the same reason, many paintings by Cranach are still in the possession of Stiftskirche.

1552: The castle was destroyed during the Margravial War.

1605–1619: Johann Schweikhard von Kronberg erected castle Johannisburg. It became the second residence of the bishops and Electors of Mainz.

1775: Elector Friedrich Carl Joseph von Erthal causes, among others, the construction of Park Schönbusch in the style of English landscape gardens.

1803: Dissolution of "Mainzer Kurstaat" (Electorate of Mainz) due to the "Reichsdeputationshauptschluss" (resolution of the imperial delegates). Aschaffenburg became capital of the newly founded princedom of Aschaffenburg under Carl Theodor von Dalberg (1744-1817).

1810–1813: Aschaffenburg became capital of the princedom of Frankfurt, into which Aschaffenburg was incorporated.

1814: After the Congress of Vienna, Aschaffenburg became part of the kingdom of Bavaria and experienced a cultural and economic heyday.
Carl Theodor von Dalberg promoted the school and education system, among others, and founded the theatre.

1834: Foundation of Deutscher Zollverein (German customs association).

1843–1848: King Ludwig I of Bavaria had built the Pompejanum.

1854: Connection to the railway network, what brought about the emergence of industry (e.g. engines, paper, clothing).

November 21, 1944: Extensive destruction in one night of bombing.

1945: The National Socialists declared Aschaffenburg a fortress, what caused the town's severe destruction during the last weeks of war.

1954: The reconstruction of the castle was started.

1955–1961: The motorway (Autobahn) A3 was constructed, being situated close to Aschaffenburg.

1956: The partnership with the Scottish town Perth was started.

1958: Stiftskirche became pontifical basilica.

1974: Opening of Cty Galerie as a shopping mall.

1978: Historian Guido Knopp initiated the discussion forum "Aschaffenburger Gespräche" (Aschaffenburg conversation).

1984: Reconstruction of the Pompejanum, which was damaged during the war.

1991: Construction of the civic hall.

1995: Inauguration of the technological highschool Fachhochschule Aschaffenburg-Würzburg-Schweinfurt in the former American garrison, nowadays an independent university.

2000: Aschaffenburg names itself town of culture – a trademark for all cultural activities of the town.

4ème siècle: Des fouilles archéologiques laissent supposer l'existence d'un peuplement sur une hauteur dominant le Main, le futur «Stiftsberg».

975: Le duc Liudolf de Souabe fonde la collégiale Saint-Pierre qui s'appellera collégiale Saint-Pierre et Saint-Alexandre à partir du 12ème siècle. Avec l'église collégiale est édifié un château-fort médiéval.

10ème siècle: À la fin du siècle, le territoire revient à l'archevêché de Mayence. Willigis, archevêque et chancelier impérial, fait construire le premier pont de bois sur le Main. Il existe jusqu'à aujourd'hui un pont Willigis.

12ème siècle: Aschaffenburg s'agrandit. Il tient son nom de la rivière Aschaff.

1114: Aschaffenburg obtient le droit d'avoir un marché.

1122: L'archevêque Adalbert Ier de Sarrebruck fortifie la cité.

1155: Aschaffenburg obtient le droit de frapper monnaie.

1161: Aschaffenburg obtient le statut de ville.

14ème siècle: Aschaffenburg devient la seconde résidence des évêques de Mayence et gagne ainsi en puissance.

1516: Les chanoines de la collégiale commandent des tableaux d'autel à Matthias Grünewald.

1541: Albert de Brandebourg, archevêque de Mayence, Électeur et mécène, quitte Halle (sur la Saale) à la suite de la Réforme en emportant de nombreuses œuvres d'art avec lui et installe sa résidence à Aschaffenburg. C'est pour cette raison que la collégiale est aujourd'hui encore en possession de tableaux de Cranach.

1552: Le château-fort est détruit pendant la Guerre margraviale.

1605–1619: Johann Schweikhard von Kronberg édifie le château de Johannisburg qui devient la seconde résidence des évêques et Électeurs de Mayence.

1775: L'Électeur Friedrich Carl Joseph von Erthal fait installer des parcs à l'anglaise, comme entre autres le parc de Schönbusch.

1803: L'Électorat de Mayence est dissout à la suite du Recès de 1803. Aschaffenburg devient la capitale de la principauté nouvellement créée d'Aschaffenburg avec Carl Theodor von Dalberg (1744–1817) à sa tête.

1810–1813: Aschaffenburg devient capitale de la principauté de Francfort qui absorbe celle d'Aschaffenburg.

1814: Après le congrès de Vienne et son rattachement au royaume de Bavière, Aschaffenburg connaît une période d'essor culturel et économique. Carl Theodor von Dalberg encourage entre autres l'instruction publique et l'éducation et fonde le théâtre.

1834: Création de l'Union douanière allemande.

1843–1848: Le roi Louis Ier de Bavière fait construire le Pompejanum.

1854: Le rattachement d'Aschaffenburg au réseau ferroviaire a pour conséquence la naissance de l'industrie (moteurs, papier, habillement).

21 novembre 1944: Les bombardements de la nuit du 21 novembre provoquent des destructions considérables.

1945: Les nazis font d'Aschaffenburg une ville retranchée ce qui provoquera la destruction massive de celle-ci pendant les dernières semaines de la guerre.

1954: Début de la reconstruction du château.

1955 à 1961: Construction de l'autoroute A3 à laquelle Aschaffenburg est directement relié.

1956: Jumelage d'Aschaffenburg avec la ville écossaise de Perth.

1958: La collégiale devient basilique papale.

1974: Inauguration du centre commercial de la City Galerie.

1978: Création par l'historien Guido Knopp du forum de discussion «Aschaffenburger Gespräche».

1984: Reconstruction du Pompejanum qui avait été endommagé pendant la guerre.

1991: Construction du palais des congrès.

1995: L'établissement d'enseignement supérieur d'Aschaffenburg-Würzburg-Schweinfurt est inauguré dans l'ancienne garnison américaine. C'est maintenant une université autonome.

2000: Une ville de culture: c'est ainsi qu'Aschaffenburg se définit, avec raison.

Der heilige Martin von Tours und ein altes Aschaffenburger Stadttor bilden das Stadtwappen. Ein Verweis auf die einstige Zugehörigkeit zum Kurfürstentum Mainz: Martin wird auch als Patron der Stadt Mainz und des Mainzer Doms verehrt.

The city's coat of arms is formed by St. Martin of Tours and an old city gate of Aschaffenburg. A reference to its former belonging to the princedom of Mainz: St. Martin has been worshipped as the patron of the city of Mainz and of the cathedral of Mainz.

Saint Martin de Tours et une vieille porte de la ville ornent les armes d'Aschaffenburg. La ville appartenait en effet autrefois à l'Électorat de Mayence et Martin est le saint patron de Mayence et de sa cathédrale.

Von weither zu sehen und unverbaubar im Blick: Schloss Johannisburg ist das Wahrzeichen Aschaffenburgs. Georg Ridinger erbaute in den Jahren 1605 bis 1614 das bedeutende Renaissanceschloss, das die Mainzer Erzbischöfe und Kurfürsten bis 1803 als Nebenresidenz nutzten. Heute ist das Schloss vor allem Museum: Besucher sehen hier die größte bayerische Staatsgemälde-Sammlung außerhalb Münchens mit Werken unter anderem von Lucas Cranach dem Älteren, die Paramentenkammer der Schlosskirche mit Gewändern aus dem ehemaligen Mainzer Domschatz, die fürstlichen Wohnräume und das Städtische Schlossmuseum. Bemerkenswert: die einzigartige Sammlung an Architekturmodellen aus Kork.

To be seen from far and a view that cannot be blocked: Castle Johannisburg is the landmark of Aschaffenburg. Georg Ridinger built the important Renaissance castle between 1605 and 1614, that was used by the archbishops and Electors of Mainz as their second residence until 1803. Nowadays, the castle is a museum above all: Visitors will find the largest Bavarian state collection of paintings outside Munich including works of Lucas Cranach the older, one among others, the castle church's chamber of paraments with gowns from the former cathedral's treasure, the princely residence and the municipal castle museum. Remarkable: the unique collection of architectural models made of cork.

Le château de Johannisburg, l'emblème d'Aschaffenburg, se voit de loin. Construit entre 1605 et 1614 par Georg Ridinger, ce célèbre château Renaissance a été jusqu'en 1803 l'une des deux résidences des archevêques et Électeurs de Mayence. Le château est aujourd'hui avant tout un musée qui abrite la plus grande collection de peintures de Bavière à l'extérieur de Munich- avec entre autres des œuvres de Lucas Cranach l'Ancien, la chambre de parement de l'église du château avec des vêtements sacerdotaux de l'ancien trésor de la cathédrale de Mayence, les appartements princiers, le musée municipal du château et une remarquable collection de maquettes de liège unique en son genre.

Ihr süßer Klang lässt auch alteingesessene Städter immer wieder verzückt aufhorchen: Täglich um 9.05, 12.05 und um 17.05 Uhr schlagen die 48 Carillon-Glocken im Ostturm des Schlosses, denen die Stadt sogar ein eigenes Fest gewidmet hat. Schallende Attraktion: Von Juni bis September finden am ersten Sonntag des Monats einstündige Konzerte mit Carilloneuren aus dem In- und Ausland statt. Rechts im Bild ist die Muttergottespfarrkirche zu sehen, links ragt der Kirchturm der Stiftsbasilika über das Rathaus.

Their sweet sound has been enchanting even old-established natives again and again: The 48 Carillon-bells ring every day at 9.05 a.m., 12.05 p.m. and at 5.05 p.m. in the eastern tower of the castle. The city has even dedicated a particular festival to these bells. Sounding attraction: One-hour-concerts with international Carillon-players take place from June till September on every first Sunday of those months. Muttergottespfarrkirche (St. Mary's parish church) is to be seen on the right side of the picture, the steeple of the convent's basilica juts out over the city hall.

La sonnerie du carillon à 48 cloches de la tour Est du château résonne tous les jours à 9h05, 12h05 et 17h05 et remplit même les plus anciens habitants de la ville de ravissement. Le carillon possède également sa propre fête. Attraction retentissante: de juin à septembre ont lieu chaque premier dimanche du mois des concerts d'une heure donnés par des carillonneurs venus d'Allemagne et de l'étranger. À droite sur la photo se trouve l'église paroissiale de la Mère-de-Dieu. À gauche, le clocher de la basilique se dresse au-dessus de la mairie.

Seit Jahrhunderten gedeihen am Fuße des Schlosses Küchenkräuter.

Pot-herbs have grown for centuries at the foot of the castle.

Cela fait des siècles que les herbes potagères poussent au pied du château.

Vom Schloss aus die Stadt erkunden: Für Touristen geben im einheitlichen Design gestaltete Wegweiser die Marschroute für Streifzüge vor.

Discover the town from the castle: Signposts of uniform design show the way to visitors on their tours.

Des panneaux guident les pas des touristes le long du chemin menant du château à la ville.

Die älteste Pfarrkirche der Stadt steht wenige Meter vom Schloss entfernt und ist der Gottesmutter Maria geweiht: „Zu unserer lieben Frau". Doch praktisch niemand nennt das 1183 erstmals urkundlich erwähnte Gotteshaus so. Sie heißt liebevoll „Muttergottespfarrkirche". Ihr barockes Gewand täuscht: Die Kirche wurde mehrmals umgebaut.

The oldest parish church of the town is situated only a few metres away from the castle and was consecrated to the Mother of God Maria: "Zu unserer lieben Frau" (our dearest woman). However, nearly nobody uses this official name of the church that was mentioned in a document for the first time in 1183. It is lovingly called "Muttergottespfarrkirche". Its Baroque-style appearance is misleading: The church was rebuilt several times.

La plus ancienne des églises paroissiales de la ville se dresse à quelques mètres du château et est consacrée à la mère du Christ. Mentionnée pour la première fois en 1183, l'église Notre-Dame est appelée affectueusement par presque tous église de la Mère-de-Dieu. Son apparence baroque est trompeuse: l'église a été transformée plusieurs fois.

Einst Machtzentrum der Erzbischöfe und Kurfürsten von
Mainz, heute Zentrum des katholischen Glaubens der Stadt:
Wie das Schloss gehört die
Stiftsbasilika zu Aschaffenburg.
Als einzige Kirche weltweit
ist sie dem Heiligen Peter und
Alexander geweiht. Sie ist die
einzige päpstliche Basilika im
Bistum Würzburg. 1958, zum
1000-jährigen Bestehen, erhob
Papst Pius XII. sie zur Basilica
Minor.
Den im Zweiten Weltkrieg zer-
störten Brunnen haben Schüler der Aschaffenburger Steinmetzschule 1998 originalgetreu
wieder aufgebaut.

Once the epicentre of power of the archbishops and Electors of Mainz, nowadays the
centre of Catholic belief of the town: Just
like the castle, the abbey's basilica belongs
to Aschaffenburg. As the only church world-
wide, it was consecrated to the saints Peter
and Alexander. It is the only pontifical basilica in the bishopric Würzburg. Pope Pius
XII. appointed it Basilica Minor on the occasion of its 1000th anniversary in 1958. The
fountain, destroyed during the Second World
War, was reconstructed true to the original
by students of Aschaffenburg's school of
stonemasons in 1998.

Cet ancien haut-lieu du pouvoir des évêques
de Mayence est aujourd'hui le centre de la foi
catholique à Aschaffenburg. Tout comme le
château, la basilique est partie intégrante de
la ville. Elle est la seule église au monde à être
consacrée à saint Pierre et saint Alexandre
et est également la seule basilique papale de
l'évêché de Würzburg. Le pape Pie XII. l'a
élevée au rang de basilique mineure en 1958,
à l'occasion de son 1000ème anniversaire.
En 1998, des élèves de l'école de tailleurs de
pierre d'Aschaffenburg ont exécuté une copie fidèle de sa fontaine qui avait été détruite
pendant la guerre.

Touristen zieht es in dem von der Romanik über die Gotik Baustile einenden Gotteshaus vor allem zu ihrem berühmtesten Kunstwerk, der „Die Beweinung Christi", das Matthias Grünewald 1525 schuf. Es ist aber nicht der einzige Kunstschatz in der Basilika: Auch das den Mittelgang überragende ottonische Kruzifix aus dem 10. Jahrhundert ist einzigartig.

Most visitors of the church, which has united the Gothic and Romanesque styles of architecture are attracted by its best-known work of art, "The mourning for Christ", created by Matthias Grünewald in 1525. However, this is not the basilica's only treasure of art: The Ottonian crucifix dating from the 10th century, that towers above the centre aisle, is unique.

Si dans l'église sont réunis aussi bien des éléments de style roman que de style gothique, c'est surtout la célèbre «Descente de la Croix» de Matthias Grunewald datant de 1525 qui attire les touristes. Mais ce n'est pas le seul trésor artistique de la basilique. Le crucifix ottonien du 10ème siècle qui domine l'allée centrale est unique en son genre.

Der um 1220 entstandene Kreuzgang ist das Herz des Stifts. Der mit originalen Fresken aus dem 15. Jahrhundert ausgeschmückte Raum ist nicht nur Ort der Meditation, sondern auch für Kultur: Kreuzgangkonzerte sind hier allein schon der sakral-besinnlichen Atmosphäre wegen einzigartig schön.

The cloister dating from 1220 approximately is the heart of the abbey. The room, adorned with original frescoes of the 15th century, is not exclusively a place for meditation, but also for culture: Cloister concerts are extremely impressing due to the sacral and contemplative atmosphere.

Le cloître de 1220 est le cœur de la basilique. Cet espace orné de fresques originales du 15ème siècle est bien sûr un lieu de méditation mais aussi de culture puisque des concerts sont organisés dans cet endroit de recueillement.

Das Sandsteinkreuz stammt aus dem 17. Jahrhundert. Samstags, sonntags und an Feiertagen ist der Kreuzgang nachmittags geöffnet.

The sandstone crucifix dates back to the 17th century. The cloister is open on Saturdays, Sundays and on bank holidays in the afternoon.

Le crucifix de grès est du 17ème siècle. Le cloître est ouvert les samedis, dimanches et jours fériés en après-midi.

Der Stiftskirche liegt die Altstadt zu Füßen.

The old part of the town is located at the foot of Stiftskirche.

La vieille ville est au pied de la collégiale.

Das Dritte im Bunde: Mit Stiftskirche und Kreuzgang bildet das Stiftsmuseum der Stadt ein einzigartiges baugeschichtliches Ensemble. Besucher sehen hier Objekte aus vorgeschichtlicher, römischer und mittelalterlicher Zeit. Während der Aschaffenburger Museumsnacht stehen die Tore weit offen für kunstverliebte Nachtschwärmer.

No. three of the union: Stiftsmuseum (abbey museum) of Aschaffenburg, Stiftskirche and cloister have formed a unique ensemble of architectural history. Visitors will find there objects of prehistoric, Roman and medieval periods. On the occasion of the so-called "Night of the Museums" in Aschaffenburg, all gates are wide open to enthusiasts of the arts.

Le musée de la Collégiale forme, avec la collégiale et le cloître, un ensemble architectural unique. Les visiteurs trouvent ici des objets originaires de l'époque préhistorique, romaine et médiévale. Pendant la Nuit des Musées, ses portes sont ouvertes aux noctambules amateurs d'art.

Fünf Ordensbrüder leben im Kapuzinerkloster St. Elisabeth. 1620 hatte der Mainzer Erzbischof Johann Schweikard von Kronberg die Kapuziner an den Main geholt. Die damals errichtete Kirche wurde 1908 vergrößert. Heute kümmern sich die Kapuziner um Obdachlose, die Krankenhaus- und die Gefängnisseelsorge.

Five monks have lived in the Capuchin monastery St. Elizabeth. In 1620, archbishop of Mainz Johann Schweikard von Kronberg had induced the Capuchins to move to the Main area. The church erected at that time was extended in 1908. Nowadays, the Capuchins take care of the spiritual welfare in the hospital and the prison.

Cinq frères capucins vivent dans le monastère Sainte-Élisabeth. L'archevêque de Mayence Johann Schweikhard von Kronberg avait fait venir leur ordre dans cette ville du Main en 1620. L'église construite à cette époque a été agrandie en 1908. Aujourd'hui, les capucins s'occupent de l'aumônerie de l'hôpital et de celle de la prison.

Christliches Aschaffenburg: Der Glaube gehört in der Stadt mit ihrem guten Dutzend katholischer und evangelischer Pfarreien zum Leben. Die Religion, ihre in Stein gehauenen Zeugnisse wie die Madonnenfigur am alten Finanzamt und sichtbare Glaubensbezeugungen wie die Fronleichnamsprozession bestimmen die Grundfarbe des Stadtbilds.

Christian Aschaffenburg: Belief is a part of life in the town with more than twelve Catholic and Protestant parishes. The religion, testimonies carved in stone, like the Madonna statue near the old tax office and visible proofs of belief, like the procession on Corpus Christi Day, have characterized the basic image of the town.

Aschaffenburg chrétien: la foi fait partie de la vie dans cette ville qui possède une bonne douzaine de paroisses catholiques et protestantes. La religion, avec ses témoignages gravés dans la pierre comme la statue de la Vierge de l'ancienne perception et les actes de foi visibles comme la procession de la Fête-Dieu, marque la physionomie de la ville de son sceau.

Kunst im verweltlichten Sakralraum: Die Kunsthalle Jesuitenkirche legt den Schwerpunkt auf klassische Moderne. In einzigartigem Ambiente mit aufwendigen Stuckaturen (oben rechts) sehen Museumsbesucher immer wieder überregional bedeutsame Ausstellungen. Eingeweiht wurde das ehemalige Jesuiten-Kolleg am Eingang der Pfaffengasse im Jahr 1621.

Art in a sacred building that has turned into profane: Kunsthalle Jesuitenkirche (hall of arts Jesuit church) has focussed on the classical modern age. Visitors can often see exhibitions of supra-regional importance in a unique ambience with elaborate stucco-work (above right). The former Jesuit college at the entrance to alley "Pfaffengasse" was consecrated in 1621.

De l'art dans un espace sécularisé: le musée d'Art Moderne de l'église des Jésuites, qui possède des stucs remarquables (en 'haut a droite), accueille dans son cadre unique des expositions dont la renommée dépasse les limites de la région. L'ancien collège jésuite qui se dresse à l'entrée de la ruelle des Curés (Pfaffengasse) a été consacré en 1621.

Kulturstadt Aschaffenburg: Drinnen und draußen lässt die Stadt Raum für Kunst und Musik. Konzerte in den katholischen Kirchen und der evangelischen Christuskirche (oben) stehen ebenso selbstverständlich im Kulturkalender wie Sommerkonzerte im Arkadenhof an der Kunsthalle Jesuitenkirche (oben links) und im Schlosshof (rechts).

Aschaffenburg – city of culture: The city has left sufficient space for arts and music, inside and outside alike. It is a matter of fact, that concerts in the Catholic churches and in the Protestant Christ Church (above) are to be found in the calendar of events, as well as summer concerts in Arkadenhof near Kunsthalle Jesuitenkirche (above left) and in the castle's courtyard (right).

Ville de culture: les manifestations musicales sont nombreuses à Aschaffenburg, que ce soit dans les églises catholique ou protestantes, comme l'église du Christ (en 'haut), ou lors des concerts d'été de la cour à arcades du musée d'Art Moderne de l'église des Jésuites (en 'haut à gauche) et ceux de la cour du château (à droite).

Treffpunkt junge Kunst: Das im klassizistischen Stil erbaute Kornhäuschen am Fuß des Schlosses in Richtung Altstadt versteht sich als Ausstellungs- und Projektraum für Gegenwartskunst und deren Grenzbereiche. Baumeister Emanuel d'Herigoyen plante das Häuschen als architektonischen und optischen Abschluss des Schlossplatzes.

Meeting place of young art: The classicistic "Kornhäuschen" (small granary), located at the foot of the castle in the direction of the old part of town, considers itself a place for exhibitions and projects of contemporary art and related genres. Master builder Emanuel d'Herigoyen planned the house as the architectural and optical completion of the courtyard.

Rendez-vous de l'art contemporain au pied du château: la petite maison aux Grains (Kornhäuschen) construite à l'entrée de la place du Château par l'architecte Emanuel d'Herigoyen dans le style du classicisme abrite un espace d'expositions et de projets consacrés à l'art contemporain et ses domaines limitrophes.

Live or never: The music club Colos-Saal at Rossmarkt is a venue of national and international music acts – those who still are, those who once were, and those who will become. The club has an excellent reputation far beyond the city limits.

Live oder gar nicht: Im Musik-Club Colos-Saal im Rossmarkt gastieren nationale und internationale Musikgrößen – solche, die es sind, die es waren und die es noch werden. Sein ausgezeichneter Ruf eilt dem Club weit über die Stadtgrenzen voraus.

En live ou rien du tout: le club Colos de la place du Marché aux Chevaux (Rossmarkt) accueille des musiciens venus du monde entier. Certains d'entre eux sont célèbres, d'autres l'ont été ou le deviendront. L'excellente réputation de ce club a dépassé les limites de la ville.

Zentraler Veranstaltungsort: Seit 1991 ist die „Stadthalle am Schloss" am Marktplatz eine der ersten Adressen für Konzerte, Messen, Schulfeiern oder Tanzbälle. Architektonische Besonderheit: der rote Main-Sandstein, der überall in der Stadt verbaut ist und wird.

Central place of events: "Stadthalle am Schloss" (civic hall at the castle), situated at the market square, has been one of the most important addresses for concerts, fairs, school parties and balls since 1991. Architectural particularity: the red Main sandstone, that has been used for buildings all over the town.

Le «palais des congrès du château» de la place du Marché accueille depuis 1991 concerts, expositions, fêtes d'écoles ou bals. Particularité architecturale: la pierre de grès rouge du Main que l'on retrouve partout dans la ville.

Irdische Genüsse: Für Einwohner aus Stadt und Region ist der Wochenmarkt auf dem Markt-platz zwischen Stadthalle und Schloss Treffpunkt am Mittwoch und Samstag.

Earthly pleasures: The weekly market on Marktplatz (market square), between civic hall and castle, is the meeting place of people from the city and the adjacent region on Wednesdays and Saturdays.

Plaisirs terrestres: le mercredi et le samedi, les habitants de la ville et de la région ont rendez-vous place du Marché entre le palais des congrès et le château.

Hat man da noch Töne!? Urban Priol, bundesweit bekannter Kabarettist, funktionierte 1998 ein ehemaliges Lichtspielhaus für Bühnen-Zwecke um: mit unglaublichem Erfolg. Die Kleinkunstbühne Hofgarten-Kabarett im klassizistischen Bau der Hofgarten-Orangerie am Park Schöntal hat überregionales Renommee.

It's unbelievable! Urban Priol, the nationwide renowned revue performer, reconstructed a former cinema into a theatre: with incredible success. The cabaret Hofgarten-Kabarett, located in the classicistic building of Hofgarten-Orangerie near Park Schöntal, has a supra-regional reputation.

Un fantaisiste qui ne manque pas d'air! Urban Priol, l'artiste connu dans toute l'Allemagne, a transformé en 1998 une salle de cinéma en cabaret... et cela avec un succès incroyable. La renommée du cabaret de l'orangerie du parc de Schöntal dépasse le cadre de la région.

Pittoresk: Park Schöntal. Mitte des 15. Jahrhunderts ließ ihn der Mainzer Kurfürst Dietrich Schenk von Erbach als Tiergarten anlegen. An die 100 Jahre später vergrößerte sein Nachfolger Kardinal Albrecht von Brandenburg den Park und gab ein Beginenkloster für seine heimliche Lebensgefährtin in Auftrag. Davon steht heute nur noch die Ruine der Kapelle zum Heiligen Grab, die nur bei Führungen zugänglich ist. Tiere gibt es immer noch: Enten, Pfauen und Schwäne.

Picturesque: Park Schöntal. It was established as a zoo by the Elector of Mainz, Dietrich Schenk von Erbach, in the middle of the 15th century. About 100 years later, his successor Albrecht von Brandenburg extended the park and ordered to build a Beguine convent for his secret partner. The only remains thereof are the ruins of the chapel named Holy Grave, which can be visited exclusively during a guided tour. Some animals are still sto be seen: ducks, peacocks and swans.

Pittoresque: le parc de Schöntal. L'Électeur de Mayence Dietrich Schenk von Erbach a fait aménager ce jardin zoologique au début du 15ème siècle. Environ un siècle plus tard, son successeur Albert de Brandebourg a fait agrandir le parc et construire pour sa concubine secrète un béguinage dont subsistent aujourd'hui les vestiges de la chapelle du Saint-Sépulcre où sont organisées des visites guidées. Le parc héberge encore canards, paons et cygnes.

Südländisches Flair am Main: Kein Ort ist im Frühjahr schöner als der Magnolienhain im Park Schöntal. Frostfreie Tage vorausgesetzt, blühen hier Dutzende knorrig-schiefe Bäume mit aller Kraft und Herrlichkeit. Ein Platz, der alle Sinne streichelt.

Mediterranean atmosphere at river Main: In spring, there is no other place in Park Schöntal, which is more beautiful than the Magnolia grove. Frost-free days provided, dozens of gnarled, crooked trees will blossom with power and magnificence. A place that caresses all senses.

Ambiance méridionale au bord du Main: rien n'est plus beau au printemps que le bosquet de magnolias du parc de Schöntal. Quand il n'y a pas de gel, le spectacle magnifique de douzaines d'arbres en fleurs s'offre aux regards des promeneurs ravis.

Lebensader Main: Baumbepflanzte Rasenterassen säumen den Mainbogen. Promenade und Spielwiese am Ufer zählen zu den beliebtesten Ausflugszielen der Stadt.

Lifeline Main: Grassy terraces with trees skirt the bend in the river. The boulevard and the playground on the bank are one of the most popular outing destinations of the town.

Le Main: une artère vitale. Des terrasses de gazon plantées d'arbres bordent la courbe du Main. La promenade et le terrain de jeux de la rive sont un des buts de sortie préférés des habitants d'Aschaffenburg.

Einen schöneren Blick gibt es wohl kaum zu Kaffee und Kuchen serviert: Auf der Schlossterrasse tafeln Gäste hoch über dem Mainbogen.

Supposedly, there is no nicer view available combined with coffee and cake: Guests can dine high above the Main's bend on the castle's terrace, from where they can look down to the public swimming pool and the fairground. The Pompejanum comes in sight on the other side.

Un paysage sans pareil pour les clients du salon de thé du château: de la terrasse qui surplombe la courbe du Main, le regard porte jusqu'au Pompejanum.

König Ludwig I. nannte Aschaffenburg sein „bayerisches Nizza". Der Bayernkönig war auch Fan von Italien: Das Haus von Castor und Pollux in Pompeji liebte er so sehr, dass er es zwischen 1840 und 1848 in seiner Sommerresidenz Aschaffenburg weitgehend originalgetreu nachbauen ließ – als Anschauungsobjekt für Kunstliebhaber. Führungen rufen deshalb bis heute römisches Leben wach – wer die Gegenwart lieber hat, darf sich an der italienisch inspirierten Pracht des angrenzenden Parks erfreuen.

King Ludwig I called Aschaffenburg his "Bavarian Nice". The King of Bavaria was a fan of Italy, too: He liked the house of Castor and Pollux so much, that he had it built nearly true to the original in his summer residence Aschaffenburg between 1840 and 1848 – as a practical demonstration for art-lovers. Guided tours have always evoked Roman life to this day – those who prefer the present time, can enjoy the Italy-inspired splendour of the adjacent park.

Le roi Louis Ier appelait Aschaffenburg sa «Nice bavaroise». Le roi de Bavière adorait aussi l'Italie. Il aimait tellement la maison de Castor et Pollux à Pompéi qu'il en a fait édifier une copie presque conforme dans sa résidence d'été d'Aschaffenburg entre 1840 et 1848- à l'intention des amateurs d'art. Des visites guidées font revivre jusqu'à aujourd'hui cette époque et ceux qui préfèrent le présent peuvent jouir de la beauté du parc voisin d'inspiration italienne.

Noch mehr königlich-bayerische Tradition: der spätklassizistische Ludwigsbrunnen. Im Gedenken an König Ludwig I. wurde das monumentale Machwerk 1897 errichtet. Früher stand der Brunnen im offenen Schöntal, heute auf der nahe gelegenen Großmutterwiese, die vor allem im Sommer Treffpunkt für die Städter ist – und das ganze Jahr über ein wichtiger Part von Aschaffenburgs „Grüner Lunge".

There is still more royal Bavarian tradition: the late-classicistic Ludwig Fountain. The huge monument was erected in memory of King Ludwig I in 1897. In former times, the fountain was located in the open Schöntal (nice valley), nowadays it stands nearby on Großmutterwiese (grandmother's meadow), which is the major meeting place of city dwellers in summer – and a significant part of Aschaffenburg's "green lungs" all along the year.

Encore un souvenir de la royauté bavaroise: la fontaine (Ludwigbrunnen)

dans le style du classicisme tardif. Cet ouvrage monumental a été édifié en 1897 en hommage au roi Louis Ier. La fontaine qui se trouvait autrefois à Schöntal est maintenant dans le parc de la «Großmutterwiese», rendez-vous des habitants d'Aschaffenburg en été et «poumon vert» de la ville tout au long de l'année.

Einer der vielen schönen Brunnen an einem der vielen lauschigen Plätze: Die Saint-Germain-Terrasse neben dem Pompejanums ist nach Aschaffenburgs französischer Partnerstadt benannt. In der Nähe wächst der Pompejaner.

One of many nice fountains at one of many cosy places: Saint-Germain-Terrasse beside the Pompejanum was named after Aschaffenburg's French partner town. The Pompejanum vine is grown nearby.

Une belle fontaine dans un joli endroit: la terrasse Saint-Germain située à côté du Pompejanum porte le nom de la ville française jumelée avec Aschaffenburg. Le «Pompejaner» pousse non loin de là.

Eine Weinstadt ist Aschaffenburg nicht, aber ein paar gute Tropfen gibt es doch: Den Pompejaner, der unter anderem bei Empfängen der Stadt ausgeschenkt wird, und ein Spätburgunder Rotwein, dessen Trauben in der Stadt auf dem Bad-Berg wachsen.

Aschaffenburg is not a city of wine - nevertheless, it has got some good drops on offer: the Pompejaner, that is also served during receptions of the city, and a Late Burgundy, a red wine, which is grown in the midst of the town on Bad-Berg.

Aschaffenburg n'est pas une ville vinicole mais on y produit cependant quelques bons vins, tels que le «Pompejaner» servi entre autres lors des réceptions officielles de la ville et un Bourgogne rouge cultivé au cœur de la ville sur le Bad-Berg.

Nach dem Zweiten Weltkrieg lag Aschaffenburg in Schutt und Asche. Zugegeben: Die Altstadt ist deshalb vergleichsweise klein. Aber: Sie ist alles, was eine Altstadt sein soll. Verträumt, verwinkelt, verwunschen – wie zum Beispiel die Pfaffengasse. Nur verschlafen ist sie nicht, sondern wie früher lebendige Mitte der Stadt. Für romantische oder anregende Stunden sorgen Restaurants und Bars. Und die neuere Stadt ist nur einen Katzensprung entfernt.

After the Second World War, Aschaffenburg was reduced to rubble. Admittedly, the old town centre is comparatively small. But it has got everything, what an old town should have. It is dreamy, full of corners, enchanted – like Pfaffengasse for example. However, it is not sleepy, but instead the lively centre of the town, just like in former times. Dozens of restaurants guarantee for romantic and agreeable hours. And the new town is merely a few metres away.

À la fin de la guerre, Aschaffenburg était réduit en cendres. Alors bien sûr, la vieille ville est relativement petite. Mais elle est comme une vieille ville doit être: romantique, avec des ruelles étroites, comme la ruelle des Curés. Par contre, elle n'est certainement pas endormie. Avec ses douzaines de restaurants pour tous les goûts, le centre de la ville est aussi excitant qu'autrefois. Et la ville neuve n'est qu'à deux pas.

Idylle auf dem „Dalberg" zwischen anmutigem Fachwerk und herrschaftlichen Bürgerhäusern: Das Klischee „malerisch" sieht sich in der Altstadt bestätigt.

Idyll on "Dalberg" between lovely half-timbered houses and grand patrician buildings: the cliché "picturesque" can be applied to the old town centre.

Le stéréotype de la vieille ville pittoresque: les jolies maisons à colombages et les magnifiques maisons bourgeoises du «Dalberg».

Die Ehre als schönste Fassade der Stadt gebührt einem Haus in der Strickergasse hinter der Stadthalle: dem Bechtold-Haus. 1790 ist das Barockgebäude gegenüber der Agatha-Kirche erbaut worden – nur einen Steinwurf entfernt vom Schloss.

Bechtold house in Strickergasse behind the civic hall deserves the honour to be the house with the nicest façade. The Baroque building was erected in 1790 opposite Agatha Church – just a stone's throw away from the castle.

C'est à la maison Bechtold située derrière le palais des congrès dans la ruelle des Bonnetiers (Strickergasse) que revient le titre de plus belle façade de la ville. Ce bâtiment baroque de 1790 se dresse en face de l'église Sainte-Agathe, à quelques pas seulement du château.

A new city hall was needed after the Second World War. The population of Aschaffenburg had considerable discussions about the neoclassicistic outline by architect professor Diez Brandui. Nowadays, the building that was constructed in the 1950s, is under protection. The old town centre and Stiftskirche are only a few steps away: the former and lavishly reconstructed Löwenapotheke (lions' pharmacy) for example (on the left side of the photo).

Après la Seconde Guerre mondiale, il a fallu une nouvelle mairie. Si le projet de style néo-classique de Diez Brandi, un architecte de Göttingen, a d'abord échauffé les esprits, le bâtiment édifié dans les années 1950 est maintenant classé. La vieille ville et la collégiale ne sont qu'à quelques pas. L'ancienne «Löwenapotheke» (à gauche sur la photo) a été rénovée à grands frais.

Nach dem Zweiten Weltkrieg musste ein neues Rathaus her. Über den neoklassizistischen Entwurf des Göttinger Architekten Prof. Diez Brandi redeten sich die Aschaffenburger die Köpfe heiß. Heute steht das in den 1950ern errichtete Gebäude unter Denkmalschutz. Altstadt und Stiftskirche sind nur einen Schritt vor die Tür entfernt: die ehemalige und aufwendig rekonstruierte Löwenapotheke zum Beispiel (links im Bild).

Aufwändig, innovativ und sehenswert: Die Kunst am Bau, die bei Führungen erklärt wird. Den großen Sitzungssaal bemalte der Münchner Kunstprofessor Hermann Kaspar.

Elaborate, innovative and worth seeing: the art of construction, that is explained during guided tours. The large conference hall was painted by Munich's art professor Hermann Kaspar.

Une mairie somptueuse qui se visite: les peintures qui ornent les murs de la grande salle du conseil sont d'Hermann Kaspar, un professeur d'art de Munich.

Little Italy: At Theaterplatz, in close neighbourhood of city hall, old town centre and basilica, coffee is served in a special atmosphere: city loggia, water course and sundial have combined modern aesthetic with antique charm since 2007.

Petite Italie: tout près de la mairie, de la vieille ville et de la basilique, le café est servi dans l'atmosphère toute particulière de la place du Théâtre – avec sa fontaine et son cadran solaire – où se mêlent depuis 2007 esthétique moderne et charme antique.

Klein-Italien: Auf dem Theaterplatz in direkter Nachbarschaft von Rathaus, Altstadt und Stiftsbasilika wird Kaffee mit Flair serviert: Stadtloggia, Wasserlauf und Sonnenuhr verbinden seit 2007 moderne Ästhetik mit antikem Charme.

Kurmainzer Erbe: Der Schönborner Hof in Altstadtnähe war einst Stadtschloss des Mainzer Obersthofmarschalls Melchior Freiherr von Schönborn. Heute finden Besucher in dem barocken Gebäude aus dem 17. Jahrhundert unter anderem das Stadt- und Stiftsarchiv sowie das Naturhistorische Museum.

Heritage of Kurmainz: Schönborner Hof, located near the old town centre, was the former town castle of colonel court marshal Melchior Freiherr von Schönborn. Nowadays, visitors will find inside the Baroque building dating from the 17th century, among others, the archives of city and abbey (Stadt- und Stiftsarchiv) as well as the museum of natural history.

Héritage de l'Électorat de Mayence: près de la vieille ville se dresse l'ancien hôtel particulier du grand maréchal du palais Melchior von Schönborn. Ce palais baroque du 17ème siècle abrite entre autres les archives de la ville et de la collégiale ainsi que le musée d'Histoire Naturelle.

Spuren der Romantik: Clemens Brentano ist auf dem Altstadtfriedhof begraben, der zu den bedeutendsten Kulturdenkmälern seiner Art in Deutschland zählt. Die Brentano-Gruft liegt in der Nähe des Haupteingangs. Nur drei Wochen lebte der berühmte Dichter (1778–1842) in Aschaffenburg, bevor er nach schwerer Krankheit starb.

Tracks of Romanticism: Clemens Brentano was buried on Altstadtfriedhof (cemetery of the old town), which represents one of Germany's most significant cultural monuments of its kind. Brentano's tomb is situated near the main entrance. The famous poet (1778–1842) lived in Aschaffenburg just for three weeks, before he died after a severe disease.

Sur les traces du romantisme: Clemens Brentano (1778–1842) est enterré dans le cimetière de la vieille ville, un des plus importants monuments culturels d'Allemagne de ce genre. Le caveau des Brentano est près de l'entrée principale. Le célèbre écrivain n'a passé que les trois dernières semaines de sa vie à Aschaffenburg avant d'y décéder des suites d'une grave maladie.

Einst Teil des Stadttors, heute Mittelpunkt des Einkaufsviertels: Der Herstallturm am Eingang zum Park Schöntal ragt stolz auf einer Verkehrsinsel empor. 1545 trägt er als Jahreszahl. Eine Erklärung für seinen Namen: Hier lagerten möglicherweise Herren, also Ritter, wenn sie in den Kampf gerufen wurden.

Once part of the city gate, now centrepiece of the shopping precinct: Herstall Tower at the entrance to Park Schöntal juts out proudly on a traffic island. It dates back to 1545. One explanation for its name: Knights, in German: "Herren", used that area as their camp before a battle.

La tour Herstall, sur laquelle est inscrite l'année 1545, faisait autrefois partie des remparts de la ville. Elle se dresse maintenant fièrement sur un îlot-piétons du quartier commercial à l'entrée du parc de Schöntal. Son nom lui vient peut-être des seigneurs (Herren) qui attendaient là d'être appelés au combat.

Einkaufswelten: Aschaffenburg ist nach Würzburg die zweitgrößte Stadt in Unterfranken. In punkto Shoppen ist sie aber die heimliche Nummer 1: Das Warenangebot lässt keine Wünsche offen in der Einkaufs-Passage City-Galerie, der attraktiv und frisch gestalteten Frohsinnstraße (rechts oben), der Steingasse oder der „Hauptstraße" der Fußgängerzone, der Herstallstraße. Der Volksmund kennt sie als „Herschelgass" (rechts unten).

Worlds of shopping: After Würzburg, Aschaffenburg is the second largest city of Lower Frankonia. With regard to shopping, however, it is no. 1 in secret: The range of goods leaves nothing to be desired, whether in the mall City-Galerie, in the attractively and freshly designed Frohsinnstraße (right above), in Steingasse or in the pedestrian zone's "main street", Herstallstraße. In the vernacular it is called "Herschelgass" (right below).

Aschaffenburg est la seconde ville de Basse-Franconie après Würzburg. Mais pour ce qui est du shopping, elle est au premier rang. Le centre commercial de la City-Galerie offre un choix de marchandises qui ne laisse rien à désirer. Il en est de même pour la rue Frohsinn (à droite en 'haut), la ruelle «Steingasse» ou la rue principale de la zone piétonne, la rue Herstall (à droite en bas), populairement appelée «Herschelgass».

Schicksalsort: Auf dem Wolfsthalplatz hinter der Fußgängerzone stand früher die Synagoge. Seit 1984 erinnern Platanen an den Grundriss des jüdischen Gotteshauses. Die Wasserskulptur „Zeitwagen" soll den Ort als Friedensplatz gemahnen. Und im benachbarten ehemaligen Rabbinerhaus lernen Besucher im Museum jüdischer Geschichte und Kultur die ehemalige jüdische Gemeinde Aschaffenburgs kennen.

Place of fate: Formerly, a synagogue stood on Wolfsthalplatz behind the pedestrian precinct. Since 1984, plane trees have reminded of the ground plan of the Jewish place of worship. The water sculpture "Zeitwagen" (time car) is to commemorate the ground as a place of peace. In the neighbouring former rabbis' house, which is now the museum of Jewish history and culture, visitors can learn about the past Jewish community of Aschaffenburg.

Un endroit emblématique: sur la place Wolfsthal, derrière la zone piétonne, se dressait autrefois la synagogue. Depuis 1984 des platanes sont plantés sur les contours de l'ancien édifice religieux. La fontaine «Zeitwagen» rappelle que la place doit être un lieu de paix et le bâtiment de l'ancien rabbinat voisin abrite le musée de l'Histoire et de la Culture Juives dans lequel les visiteurs peuvent se renseigner sur l'ancienne communauté juive d'Aschaffenburg.

Lebensraum Fluss: Im Hafen am Verkehrsweg Main werden seit 1921 Güter umgeschlagen; mehr als 60 Unternehmen sind heute hier ansässig.

Living space river: Since 1921, goods have been transshipped in the port at the traffic route Main; more than 60 companies are based there.

Le port de transbordement du Main existe depuis 1921 et abrite plus de 60 entreprises.

Zur Arbeit das Vergnügen: Um die 450 Boote ankern im ehemaligen Floßhafen.

Work plus pleasure: About 450 boats have dropped anchor at the former rafting port.

Environ 450 bateaux mouillent dans l'ancien port de flottage.

Erst wenige Jahre alt und schon Institution: Floßhafenregatta und Drachenbootrennen, bei denen Kostümierung willkommene Pflicht ist.

Just a few years old, but already an institution: regatta at rafting port and race of dragon boats, where costumes are an agreeable obligation.

Une manifestation récente et déjà une institution: la régate du port de flottage et la course de canots dragons où les déguisements sont de rigueur.

Spaziergänger erleben Main und Kultur bei Veranstaltungen wie dem 2008 erstmals ausgerichteten Bildhauersymposion.

Strollers experience Main and culture with events like the Sculptor's Symposium, organized in 2008 for the first time.

En 2008, en bordure du Main, les promeneurs ont pu découvrir le premier Symposium de Sculpture.

Lebensraum Natur: Aschaffenburg ist nicht nur das Tor zum Spessart, sondern auch selbst natürlich lebendig. Beim Forellenangeln an der Aschaff, beim Fischen auf dem Main oder bei Spaziergängen im Strietwald ist die quirlige Stadt auf einmal wohltuend weit weg.

Living space nature: Aschaffenburg is not just the gateway to the Spessart, but also naturally alive itself. Trout fishing, fishing on the Main, or walking through Strietwald – all of a sudden the busy city is far away.

Aschaffenburg n'est pas seulement la porte du Spessart, c'est aussi une ville elle-même très «nature». Que ce soit à l'occasion d'une partie de pêche sur les bords de l'Aschaff ou du Main, ou à l'occasion d'une promenade dans le bois de Strietwald, l'agitation de la ville est bien vite oubliée.

Naherholungsziel nicht nur für Städter: Kilometerweit fahren Spaziergänger, Familien und Jogger zum Landschaftspark Schönbusch vor den Toren Aschaffenburgs. Er ist einer der ältesten – Ende des 18. Jahrhunderts angelegt – und mit 400 Hektar größten Parks in Deutschland. Einer der schönsten ist er sowieso: Das Ideal eines englischen Landschaftsgartens wurde hier auf Wunsch des Mainzer Erzbischofs und Kurfürsten Friedrich Karl Joseph von Erthal raffinierte Realität.

Local recreation area, not only for city dwellers: Strollers, families and joggers drive for miles and miles to reach landscape park Schönbusch beyond the gates of Aschaffenburg. It is one of the oldest – constructed at the end of the 18th century – and with 400 hectares greatest parks of Germany. The ideal of an English landscape garden became cunning reality, on request of Mainz's archbishop and Elector Friedrich Karl Joseph von Erthal.

Un lieu de détente aux portes de la ville qui n'est pas seulement recherché par les habitants d'Aschaffenburg: promeneurs, familles et joggeurs sont prêts à faire des kilomètres pour rejoindre le parc paysager de Schönbusch. Ce parc de 400 hectares est un des plus grands d'Allemagne et un des plus vieux puisqu'il a été aménagé à la fin du 18ème siècle. C'est de toute façon un des plus beaux: ce parc à l'anglaise idéal tel que le voulait l'archevêque de Mayence et Électeur Friedrich Karl Joseph von Erthal est devenu ici réalité.

Vom frühklassizistischen Kurfürstlichen Pavillon am See öffnet sich der Blick bis Schloss Johannisburg. Die zehn Räume des zwischen 1778 und 1781 errichteten „Schlosses" sind im Louis-XVI.-Stil eingerichtet und nur bei Führungen zu besichtigen.

When standing near the early classicistic Electoral Pavillon at the lake, castle Johannisburg comes in sight. The ten rooms of the "castle" dating from 1778 till 1781 have been fitted out in the style of Louis XVI and can be visited on guided tours exclusively.

Du pavillon du lac bâti dans le style du classicisme le regard porte jusqu'au château de Johannisburg. Les 10 pièces de ce «château» construit entre 1778 et 1784 ont été aménagées en style Louis XVI et ne sont ouvertes au public qu'à l'occasion de visites guidées.

Der Hecken-Irrgarten mit Gingko-Baum in der Mitte ist fast 180 Jahre alt.

The hedges maze with the gingko tree in the middle is nearly 180 years old.

Le labyrinthe avec un ginkgo en son centre a presque 180 ans.

Feiern im Schönbusch: Der in den Jahren 1801 und 1802 errichtete Tanzsaal ist ein stimmungsvoller Rahmen für Bankette und gesetzte Essen. Bis zu sechzig Gäste finden hier Platz.

Celebrations in Schönbusch: The ballroom, which was built in 1801 and 1802, supplies an idyllic frame for banquets and sedate dinners. There are seats for up to sixty persons.

Fêtes à Schönbusch: la salle de bal construite entre 1801 et 1802, dans le cadre plein de charme de laquelle sont organisés repas assis et banquets, peut accueillir jusqu'à 60 convives.

Früher Hofgut, heute öffentlicher Garten: Der Nilkheimer Park schließt an den Schönbusch an. Hier wird geheiratet und groß gefeiert, das „Kommz" zum Beispiel: Bei Aschaffenburgs größtem Festival zelten Tausende, hören Musik und feiern – ohne Kommerz.

Formerly a manor, nowadays a public park: Nilkheim Park is adjacent to Schönbusch. Weddings and big festivities are celebrated there, for example the "Kommz": Thousands of people camp overnight, listen to the music and have fun without business interests at Aschaffenburg's biggest festival.

Un ancien domaine devenu jardin public: le parc de Nilkheim jouxte Schönbusch. Il accueille mariages et fêtes telles que le «Kommz». Le plus grand festival d'Aschaffenburg est à but non lucratif et attire des milliers de visiteurs qui écoutent de la musique, font la fête et dorment sous la tente.

Ab den ersten warmen Tagen feiert und trifft sich Aschaffenburg draußen: in einem der grünen Biergärten, auf dem alljährlichen Volksfest mit freiem Blick aufs Schloss oder einer der zahlreichen Vereinsfeiern.

On the first warm days, the inhabitants of Aschaffenburg meet each other and celebrate outside: in one of the green beer gardens, at the annual public festival with full view of the castle or at one of the numerous club festivities.

Aux premiers beaux jours, tout le monde se retrouve dehors pour s'amuser: dans une brasserie en plein air, à la fête populaire annuelle avec vue sur le château ou à l'une des nombreuses fêtes associatives de la ville.

Kippenburgfest   Kippenburg festival   Le festival Kippenburg

Urlaubsfeeling auf dem Parkhaus: Ein Meer rauscht hier zwar nicht. Dafür garantiert Aschaffenburgs erster Beach-Club aber Strand und freie Sicht über die Dächer der Stadt – nur Sonnenschein ist Wetter-Glückssache.

Holiday feeling on top of the car park: There is no roaring ocean, however, Aschaffenburg's first beach club guarantees for a sandy beach and full view over the roofs of the town – merely sunshine is a matter of weather and luck.

Sensations de vacances tout en haut d'un parking: pas de bruits de vagues mais le premier Beach-Club d'Aschaffenburg garantit sable et vue imprenable sur les toits de la ville. Le soleil, par contre, c'est une question de chance.

Der „Schlappeseppel" ist DAS Aschaffenburger Lokal für DAS Aschaffenburger Bier: Kult, weil sich im ältesten Gasthaus der Stadt die Stadt trifft, Kult, weil Schlappeseppel seit 1631 gebraut wird und seit 1803 laut Kurfürst Karl Theodor von Dalberg „auf die Dauer der Ewigkeit" gebraut werden darf. Und so Kult, dass manchmal sogar das Leergut für Nachschub-Bier knapp wird.

"Schlappeseppel" (feeble Seppel) is THE pub in Aschaffenburg for THE beer from Aschaffenburg: a real cult, because the town meets in the town's oldest pub; a cult, because Schlappeseppel has been brewed since 1631, and it was allowed by Elector Karl Theodor von Dalberg in 1803, to be brewed "for all eternity". It is such a cult, that sometimes the empties for the beer supply can become scarce.

Le «Schlappeseppel» est LA brasserie et LA bière d'Aschaffenburg: culte parce que c'est la plus ancienne brasserie de la ville où tout le monde se rencontre, culte parce que le Schlappeseppel est brassé depuis 1631 et qu'un droit de brassage «pour la durée de l'éternité» a été accordé en 1803 par l'Électeur Karl Theodor von Dalberg. Et tellement culte que les verres consignés en viennent parfois à manquer.

Schottisches Aschaffenburg: Die Freundschaft zur Partnerstadt Perth ist innig, Karoröcke und Dudelsäcke am Main gern gesehen.

Scottish Aschaffenburg: There has been a close friendship with partner town Perth – tartan kilts and bagpipes are welcome at the Main.

Des liens d'amitiés étroits unissent Perth à Aschaffenburg où jupes à carreaux et cornemuses sont toujours les bienvenues.

Eine ruhige Kugel schieben zu Füßen des Schlosses Johannisburg: Man trifft sich zum Boule-Spiel.

A cushy number at the foot of castle Johannisburg: meeting lace for a Boule match.

On se retrouve au pied du château de Johannisburg pour une partie de boules décontractée.

Hinter dem Bouleplatz werden Steine geklopft: Im historischen Marstall in Sichtweite des Schlosses lernen Schüler der Steinmetzschule Aschaffenburg ihr Handwerk. Ihre Arbeit ist immer wieder Bezugs- und Ausgangspunkt für das kulturelle Leben der Stadt. Und der rote Main-Sandstein ist das Material, das immer wieder Farbe ins Stadtbild bringt.

Stones are hammered behind the Boule ground: Students of the stonemason school Aschaffenburg are learning their craft in the historic Marstall (stables) in sight of the castle. Their work has always been the reference and starting point of the town's cultural life. And the red Main sandstone is the material, which has always brought colour to the townscape.

Derrière le terrain de boules se trouvent les anciennes écuries dans lesquelles les futurs tailleurs de pierre apprennent leur métier à portée de vue du château. Leur travail est souvent en rapport étroit avec la vie culturelle de la ville. Et le grès rouge du Main ajoute de la couleur à la physionomie de la ville.